egg

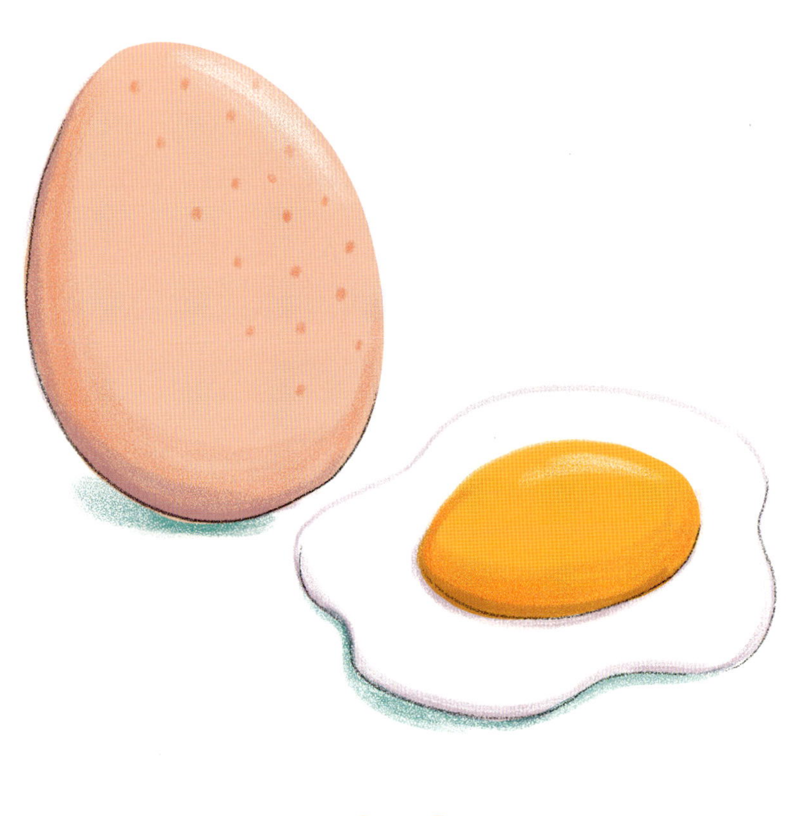

e gg

mop

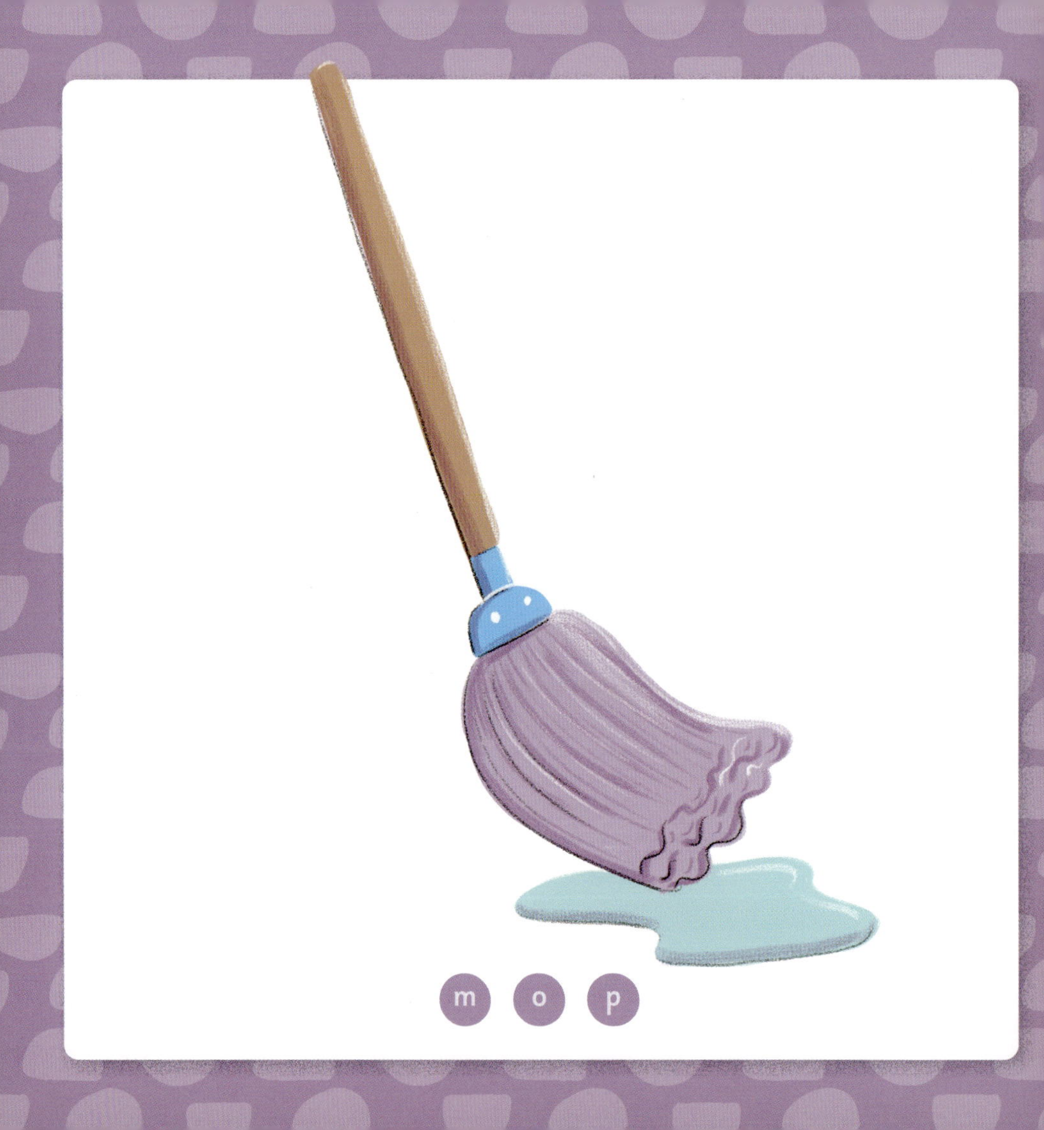
m o p

sun

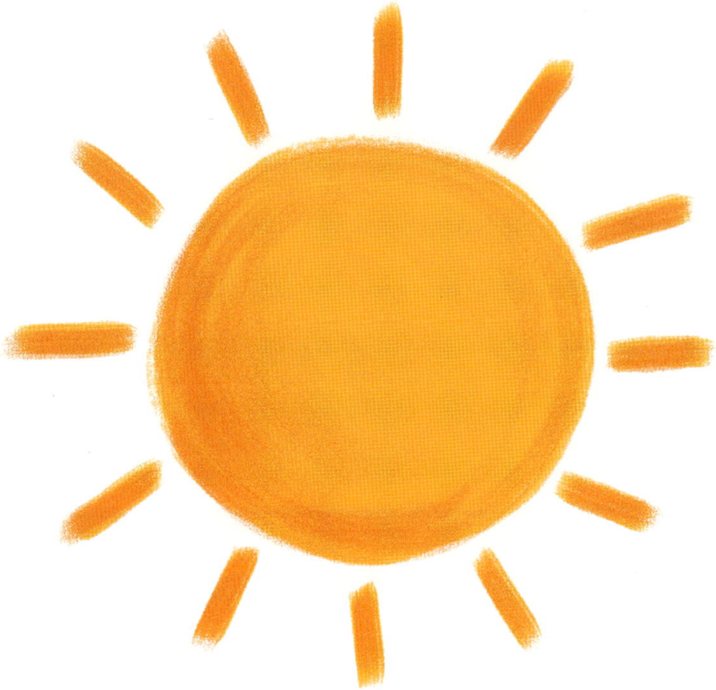

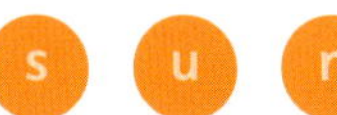
s u n

log

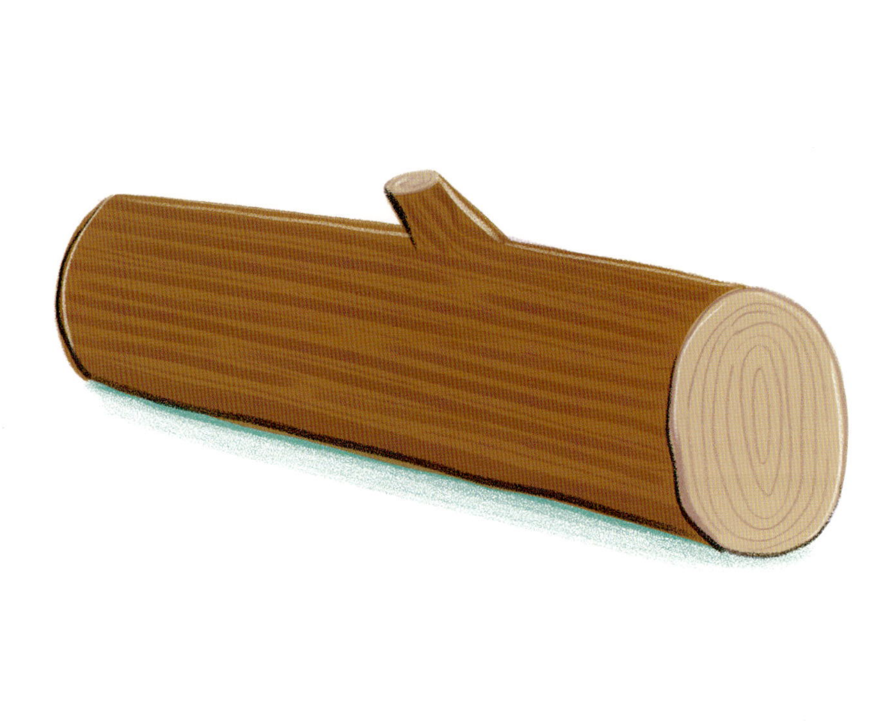

l o g

fan

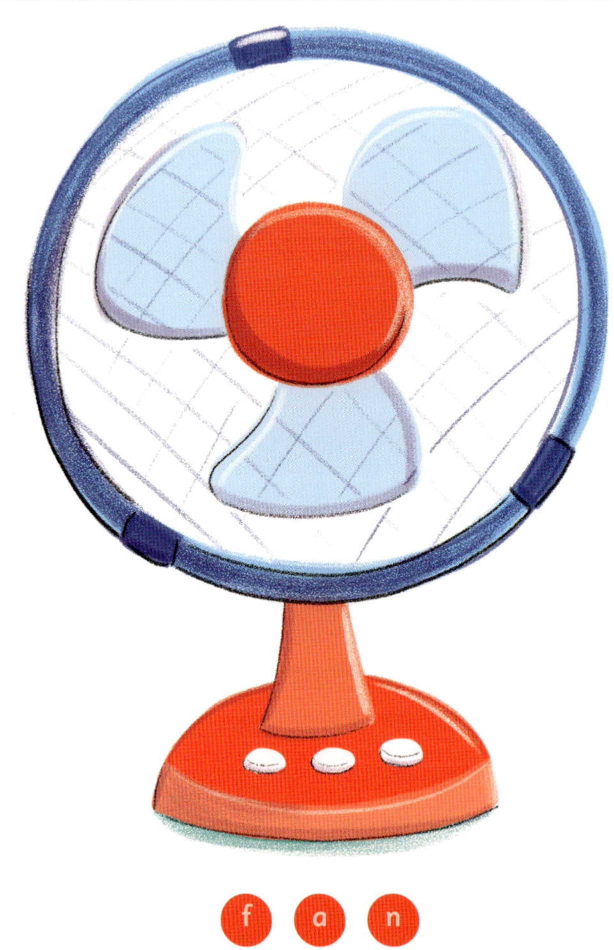
f a n

bib

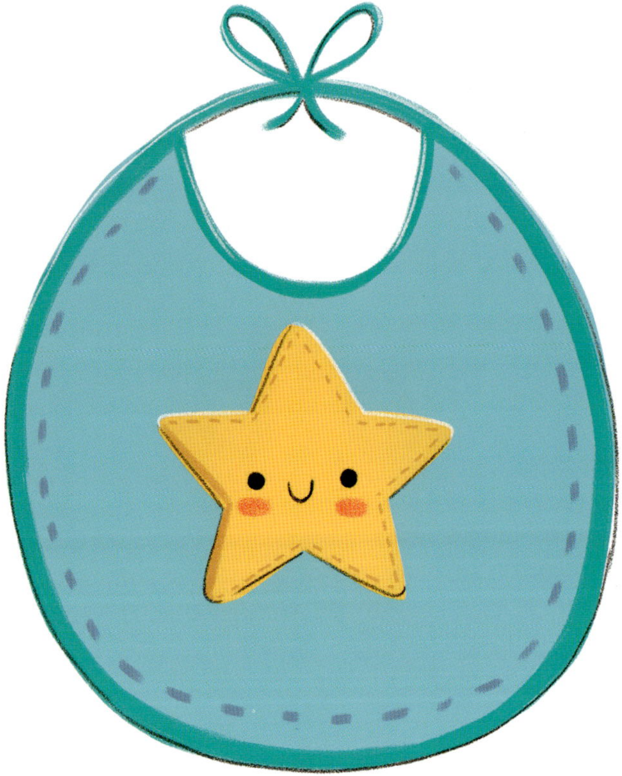

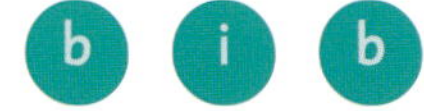
b
i
b

frog

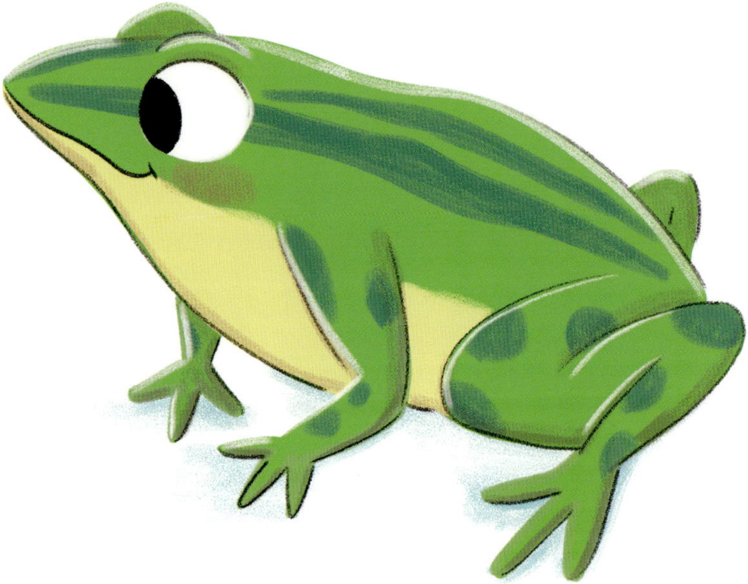

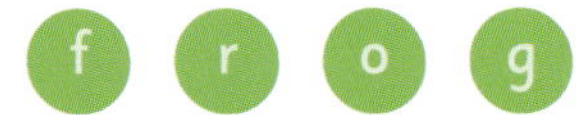
f r o g

drum

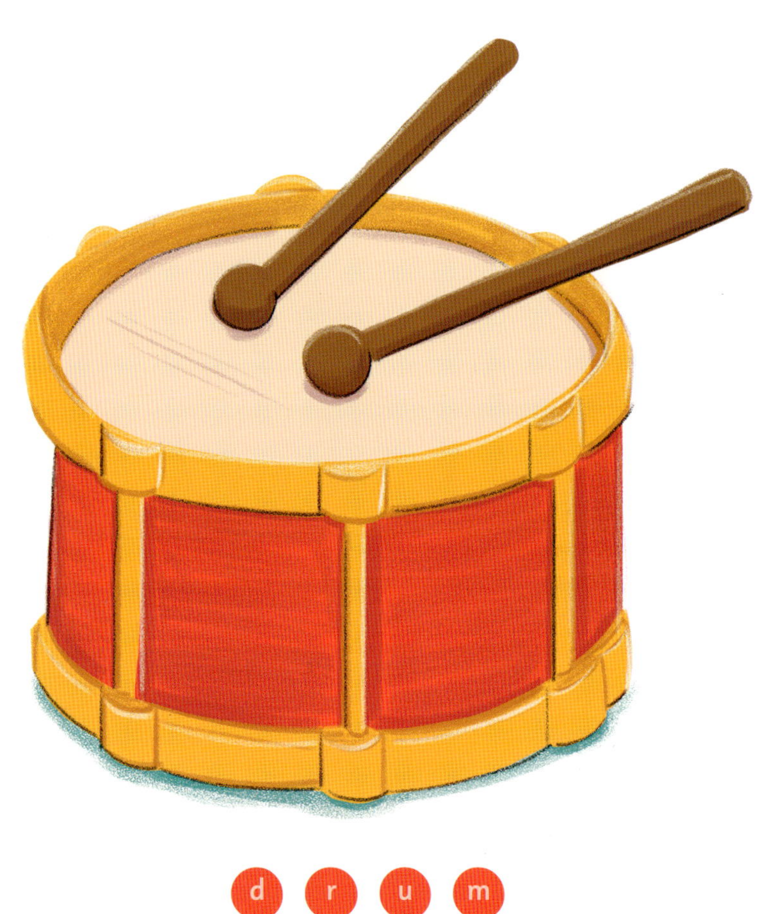
d r u m